EL PRIMER
DÍA DE ESCUELA
DE RATÓN

Lauren Thompson

Ilustrado por

Buket Erdogan

SCHOLASTIC INC.

New York   Toronto   London   Auckland
Sydney   New Delhi   Hong Kong

Para Owen y Graham, los mejores amigos —L. T.

Para Kevin y Alyssa, por toda la diversión e inspiración —B. E.

Originally published in English as *Mouse's First Day of School*.

Book design by Paula Winicur.

Text copyright © 2003 by Lauren Thompson.
Illustrations copyright © 2003 by Buket Erdogan.
Spanish translation copyright © 2010 by Scholastic Inc.
All rights reserved. Published by Scholastic Inc., 557 Broadway, New York, NY 10012,
by arrangement with Simon & Schuster Children's Publishing Division.
Printed in the U.S.A.

ISBN-13: 978-0-545-23007-0
ISBN-10: 0-545-23007-1

2 3 4 5 6 7 8 9 10   40   19 18 17 16 15 14 13 12 11 10

Una mañana radiante,
Ratón halló un lugar escondido.

Y así fue a parar
a un lugar desconocido.

Cuando bajó al suelo,
 ¡Ratón halló...
uno,
   dos,
     tres,
       cuatro
         bloquecitos!

Rum,
ruuum,
ruuuum,

¡un carrito!

4

Pim,
Pom,
Pum,
¡un tamborcito

6

Al estante
Ratón se subió…

A, B, C,
¡cuántos libros encontró!

¡Muñecas de trapo
de pelo rizado
y ojos pintados!

¡Plantas verdes y enredadas!

A la mesa,
Ratón se subió...

rojo,

amarillo,

azul...

¡cuántos
colores halló!

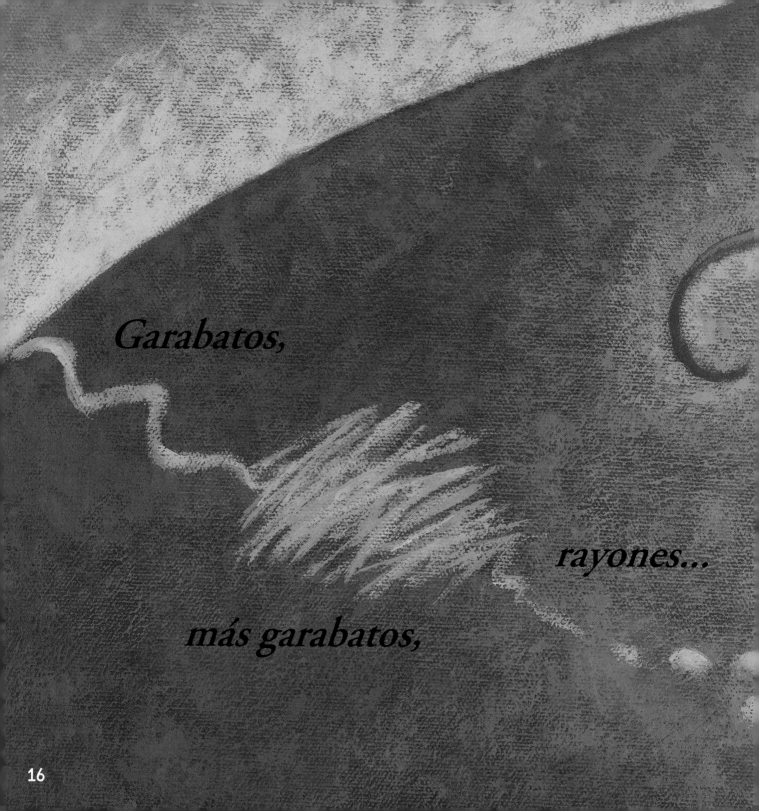

Garabatos,

rayones...

más garabatos,

¡crayones!

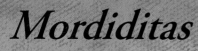

Mordiditas

y sorbitos...

¡bocaditos!

En una esquina,
Ratón halló piezas:

círculo,

triángulo,

cuadrado...

¡rompecabezas!

¡Sombreros
graciosos,
preciosos,
vistosos!

¡Ollas
escandalosas,
estrepitosas,
ruidosas!

Ratón miró a su alrededor

y encontró…

cosquillitas, risitas,
¡amigos! ¡Lo mejor!

¡Bienvenido a la escuela, querido Ratón!